Oíche mhaith, a bhanphrionsa!

Is as Marseille na Fraince don údar, **Giorda**. Thosaigh sé amach mar scríbhneoir agus mar cheoltóir, ag obair san amharclann, ag cumadh drámaí. Tá go leor, leor leabhar do pháistí scríofa aige sa Fhraincis.

Is as an Eilbhéis don mhaisitheoir, **Anne Wilsdorf**, ach tá cáil uirthi i dtíortha eile chomh maith, go mórmhór sa Fhrainc, do na pictiúir a chruthaíonn sí do leabhair do pháistí.

Foilsithe den chéad uair i 2003 ag Bayard Éditions, Jeunesse
An Fhrainc, faoin teideal *La princesse au sommeil léger*
Bunleagan Fraincise: © 2009 Bayard Éditions
Leagan Gaeilge: © 2011 Futa Fata.
Clóchur Gaeilge: Anú Design

Glacann Futa Fata buíochas le Clár na Leabhar, Foras na Gaeilge faoin tacaíocht airgid a chuireann said ar fáil.

Foras na Gaeilge   Ireland Literature Exchange
Idirmhalartán Litríocht Éireann

Tá an foilsitheoir buíoch **d'Idirmhalartán Litríochta Éireann** (ciste na n-aistriúchán), Baile Átha Cliath, faoin gcúnamh airgid chun an leabhar seo a fhoilsiú.
www.irelandliterature.com
info@irelandliterature.com

ISBN: 978-1-906907-40-2

Oíche mhaith, a bhanphrionsa!

Scríofa ag Giorda
Maisithe ag Anne Wilsdorf
Aistrithe ón bhFraincis ag Patrica Mac Eoin

Futa Fata

Caibidil 1

Scread an Bhanphrionsa

Bhí banphrionsa fíorálainn ann fadó.
Béibhinn ab ainm di. Bhí gruaig fhada
fhionn uirthi, súile gorma agus leicne áille
ar dhath an róis. Agus anuas air sin, bhí sí
séimh agus dea-mhúinte*.

Bhí a tuismitheoirí breá sásta leis an

* béasach

iníon álainn seo….seachas rud amháin,
faraor – ní raibh an banphrionsa bocht in
ann codladh sámh a fháil ar chor ar bith.

Mhúsclaíodh* an fhuaim ba lú as a codladh
í: luch ag rith trasna an tseomra; damhán
alla ag sníomh** a lín; féileacán oíche ag

* Is minic a dhúisigh
** Ag déanamh – bíonn éadach á shníomh freisin

cuimilt a chosa in aghaidh a chéile.....

Dhúisigh Béibhinn oíche amháin agus lig sí scread aisti (mar ba ghnách!). Dhúisigh a tuismitheoirí. Isteach sa seomra leo.

"Cad tá anois ort?" a d'fhiafraigh siad.

Chrom an banphrionsa a ceann. Bhí náire an domhain uirthi. Lig a máthair osna aisti.

"Ní phósfaidh tú go deo, má leanann tú ar aghaidh mar seo. Cén prionsa a bheadh sásta cónaí leat?" ar sise.

"Mise, ag pósadh prionsa, an ea? arsa Béibhinn. "Tá neart ama agam le bheith ag smaoineamh air sin!"

Caibidil 2
Litir ón Rí

Lá amháin chonaic Béibhinn teachtaire ag teacht ina treo. Thug sé litir ghalánta* di, a raibh ribín glas thart timpeall uirthi.

Bhain an banphrionsa an ribín den litir go tapa agus d'oscail sí amach í. Léigh sí:

* ard-nósach, costasach

11

"A bhanphrionsa uasail,
   Tá mo mhac anois in aois a phósta. Ba mhaith liom go bpósfadh sé banphrionsa ó mo ríocht féin. Mar sin, tar go dtí an Pálás Ríoga chomh luath agus is féidir leat. Ach cuimhnigh! Pósfaidh an prionsa an banphrionsa a réiteoidh fadhb mhór atá aige. Conas? Fút féin atá é sin a fháil amach!

Conall, Rí na nUltach"

"Réiteoimid an cóiste capaill mar sin, agus ar aghaidh linn ar an bpointe" arsa Béibhinn. Mar sin féin, gur cheap sí go raibh an litir beagán aisteach*.

Ach ní raibh suim ar bith ag a máthair a bheith ag imeacht.

"Cén mhaith leis seo in aon chor? Dúisíonn tú má chloiseann tú cuileog ag casacht i lár na hoíche! Conas a d'fhéadfása fadhb

* ait, saoithiúil

13

an phrionsa a réiteach?" ar sise.

Ach ní raibh stop ar bith leis an mbanphrionsa:

"Táim ag iarraidh dul go dtí an pálás ríoga! Táim ag iarraidh an prionsa a phósadh!"

Agus na focail seo ráite aici, thosaigh sí ag gol.

Faoi dheireadh, ghéill* na tuismitheoirí dá n-iníon, agus siúd chun siúil leo. Bhí sé dubh dorcha faoin am a shroich siad an pálás, áfach.

* Dúirt siad go ndéanfaidis an rud a bhí a n-iníon ag iarraidh

Caibidil 3
Aoi Déanach

Mar a tharla, bhí searbhónta ag fanacht le haíonna* déanacha ag geataí an pháláis. Bhí céad caoga is a trí banphrionsa tagtha cheana féin!

   "An bhfuil fadhb an phrionsa réitithe ag aon bhanphrionsa go fóill?" arsa Béibhinn go neirbhíseach.

* Daoine a bhí ag fanacht don oíche

"Níl, go fóill! Ach tá tú an-déanach ag teacht, mar sin féin! Níl oiread agus seomra codlata amháin fágtha. Agus tá gach duine imithe a chodladh cheana féin. Tá na banphrionsaí go léir ag iarraidh a bheith ar fónamh* don lá amárach!" arsa an searbhónta.

* go maith, breá slaintiúil

"Rachaimid áit éigin eile, mar sin," arsa athair Bhéibhinn.

Ach ní raibh Béibhinn sásta leis sin ar chor ar bith.

"Ní rachaidh mé! Táim ag iarraidh fanacht sa phálás ríoga!" a deir sí. "Mura bhfanfaidh mé anseo, seans go mbeidh sé ródhéanach amárach. B'fhéidir go mbeidh fadhb an phrionsa réitithe ag banphrionsa eile!"

"Ach cá gcodlóidh tú?" arsa máthair an bhanphrionsa.

Mar a tharla, bhí plean ag an searbhónta.

"Tá tolg deas compórdach sa seomra suite. Is féidir leis an mbanphrionsa dul a chodladh ansin anocht," ar seisean.

Bhí Béibhinn an-sásta leis an bplean sin.

"Déan iarracht codladh sámh a fháil anocht, a stóirín," arsa máthair Bhéibhinn agus í ag fágáil slán lena hiníon. "Ní bheidh an prionsa sásta ar chor ar bith má dhúisíonn tú é".

"Ní bheidh suim ar bith aige tú a phósadh má tharlaíonn sé sin," arsa a hathair.

Caibidil 4

Ollphéist* Scanrúil

Luigh an banphrionsa ar an tolg agus thit sí ina codladh láithreach.

Thart ar mheán oíche shéid puth ghaoithe tríd an bhfuinneog. Agus shéid an phuth

* Ainmhí mór gránna (– ní fíor-ainmhí ach ceann samhailteach)

sin in aghaidh próca mór bláthanna a bhí
ar bhord sa seomra…

Thit peiteal ó cheann de na bláthanna ar
an urlár, díreach in aice le Béibhinn.
Dhúisigh sí go tobann. Lig sí scread aisti.
Bhí an scread le cloisteáil ar fud an pháláis,
thuas staighre agus i seomra an rí féin.

Léim an rí as a leaba.

"Cé a lig an scread sin?" ar seisean, agus fearg an domhain air.

Dhúisigh an chéad caoga is a trí banphrionsa freisin.

"Ní mise a lig an scread sin, a Rí! Ní mise a rinne é!" arsa gach banphrionsa leis an Rí.

Ba í Béibhinn bhocht an duine deiridh ag dul suas staighre.

D'umhlaigh* sí don Rí.

"A Rí, is mise a lig an scread sin," a deir sí go neirbhíseach. "Is mise a dhúisigh thú. Táim tar éis gach duine sa phálás a dhúiseacht. Is dócha gur dhúisigh mé an prionsa freisin. Tá fíorbhrón go deo orm!"

* Chuaigh sí síos ar leathghlúin (glúin amháin) agus chrom sí a ceann

"Tá mo rás rite agam!*" arsa an banphrionsa bocht léi féin. "Ní phósfaidh an prionsa anois mé. Ach, ar a laghad, d'inis mé an fhírinne".

Ní raibh sé de mhisneach aici féachaint ar aghaidh an Rí, bhí sé chomh feargach sin.

* Tá deireadh liom!

Go tobann, tháinig an prionsa amach as a sheomra. Anonn leis ar an bpointe chuig Béibhinn. Síos leis ar leathghlúin* os a comhair.

"An bpósfaidh tú mé, a bhanphrionsa álainn?" ar seisean.

Bhí ionadh an domhain ar Bhéibhinn.

"Mise? Ní thuigim! Cén fáth mise?" ar sise.

* ar ghlúin amháin

Rinne an prionsa meangadh* gáire.

"Bhí mé i lár tromluí** uafásach nuair a lig tú an scread sin asat ar baillín. Bhí ollphéist scanrúil ag iarraidh mé a ithe! Ach dhúisigh tusa mé díreach sular shlog sí mé! Shábháil tú mé, a bhanphroinsa álainn! Tá tú tar éis m'fhadhb mhór a réiteach!"

* Tháinig aoibh gháire ar a bhéal
** Brionglóid scanrúil

Lig Béibhinn béic áthais aisti.

"Tá mé an-sásta gur stop mé an ollphéist scanrúil ó bheith dod ithe! Agus beidh mé fíorshásta thú a phósadh," a deir sí, ag tógáil lámh an phrionsa ina lámh féin.

Caibidil 5

Codlaígí Sámh!

Cúpla lá ina dhiaidh sin, phós an bheirt. Agus cé nach raibh sí in ann codladh na hoíche a fháil fós, bhí an banphrionsa ag féachaint go hálainn.

Bhí meangadh mór gáire ar aghaidh an Rí.

"Réitigh bhur n-iníon an fhadhb mhór a bhí ag mo mhac," arsa an Rí le hathair agus máthair Bhéíbhinn, arís agus arís eile.

Ón lá sin amach mhair an prionsa agus an banphrionsa le chéile go sona sásta.

Agus, má dhúisigh Béibhinn bhocht de bharr duilleog ag titim ar dhíon an pháláis,

cuir i gcás, lig sí scread aisti agus léim sí amach as an leaba.

"Go raibh míle maith agat as mé a dhúiseacht, a stór," a deireadh an prionsa léi go grámhar. "Bhí tromluí arís orm. Míol mór* a bhí chun mé a shlogadh an uair seo!"

* An t-ainmhí is mó ar domhar, a bhfuil cónaí san fharraige air

Bíonn Húcalla, an tIndiach óg, fágtha amach as saol na treibhe. Tá cos bhacach aige. Ní bheidh sé ina ghaiscíoch ar nós na mbuachaillí eile go deo. Bíonn cailíní an champa ag sciotaráil gháire faoi – go dtí go bhfaigheann siad amach, go bhfuil bua ag Húcalla, bua nach bhfuil ag duine ar bith eile sa treibh.....

Do léitheoirí 9 mbliana d'aois agus os a chionn.

www.futafata.ie

Idir an scoil agus eile, tá Vicí coinnithe ag imeacht. Agus tá feabhas ar an saol sa bhaile ó chas a máthair ar fhear nua an-deas, Gearóid. Bheadh gach rud ina cheart murach buachaill ar scoil, Oisín, a bhíonn de shíor ag iarraidh rudaí a thógáil 'ar iasacht'. Cuireann Oisín eagla ar Vicí ach ní maith léi rud ar bith a rá faoi le haon duine. Agus dá mhéid ama a fhanann sí ina tost is ea is mó an bhuairt atá ag teacht uirthi...

Do léitheoirí 10 mbliana d'aois agus os a chionn.

www.futafata.ie